Éditions EXLEY sa 2003
13, rue de Genval - B 1301 Bierges
Tél. 32+2 654 05 02 - exley@interweb.be

traduction Lise-Éliane Pomier
ISBN 2-87388-308-1 - DL 7003/2003/08
Imprimé en Chine -

2 4 6 8 10 12 11 9 7 5 3

Depuis plus de 25 ans Helen Exley *édite, dans le monde entier, de superbes petits-livres. Les raisons de son succès tiennent à trois éléments : l'importance qu'elle attache aux valeurs humaines, au sens de la vie, à la beauté, ensuite le soin infini, le discernement attentif avec lesquels elle compose chaque page de chaque livre et enfin son exigence de qualité pour l'objet-livre. Voilà pourquoi on adore donner et recevoir les beaux-petits-livres-cadeaux* Helen Exley.

VOYAGE INTÉRIEUR

la traversée de moments difficiles

TEXTES ET AQUARELLES DE

Susan Squellati Florence

UN LIVRE-CADEAU HELEN EXLEY

Il nous arrive à tous, à un moment quelconque de notre vie, de traverser des épreuves difficiles. Il peut s'agir d'un deuil particulièrement cruel ou d'une grave maladie, d'un problème sentimental ou d'une dépendance assez douloureuse pour nous contraindre à demander une aide extérieure. Il se peut, tout simplement, que nous ayons le sentiment que quelque chose a changé à l'intérieur de nous-mêmes et que cela nous effraie.

Il faut du courage pour affronter les épreuves que la vie nous envoie. Il faut de la force pour accepter de pénétrer dans le secret de nos âmes. En ces temps d'incertitude, nous sommes contraints d'admettre, en toute humilité, que nous sommes plus que jamais vulnérables.

Heureusement, ces épreuves contribuent à modeler le métal dont nous sommes faits, pour nous permettre d'entrevoir ce que nous pouvons *devenir. L'incertitude est un moment privilégié où nous pouvons toucher à la sagesse. Une lumière s'allume dans le noir et nous aide à voir les choses autrement. Nous trouvons la force de supporter ce qui nous arrive et la richesse de notre vie spirituelle s'en trouve accrue.*

Je souhaite de tout cœur que ce petit livre vous donne le goût de persévérer dans votre quête de la sagesse. Je souhaite qu'il vous aide à accepter ces temps d'incertitude et même de souffrance car ceux-ci font partie de toute vie humaine et peuvent être un chemin de renouveau intérieur.

Quelque part, un havre de paix vous attend.

Puisse ce livre, en vous accompagnant dans votre méditation, vous indiquer le moyen et le goût de voyager intérieurement.

L'aventure
est au bout du chemin.

Elle surgit,
dans la clarté et l'espérance,

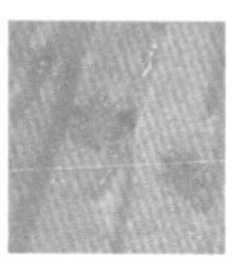

lorsque tu atteins le moment
où tu ne sais pas qui tu es,
où tu ne sais plus où aller.

Ce passage douloureux
et infiniment précieux
est l'occasion
d'un voyage à l'intérieur
de toi-même.

Tu visiteras des endroits
où tu n'avais jamais
osé pénétrer
et là,
tu découvriras
des angoisses secrètes
et des vérités enfouies.

Tu escaladeras

les plus hautes montagnes

et les plus escarpées,

celles qui naissent

de l'intérieur de toi-même.

Tu exploreras
les courants oubliés
qui se tapissent
au plus profond
des océans
de ton esprit.

Tu te perdras dans l'immensité
et tu chercheras un chemin
dans un pays où il n'existe
plus de routes.

Tu apprendras
à marcher
lentement,
un pas
après l'autre.

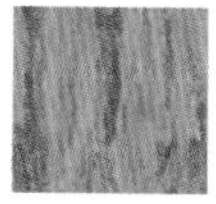

Tu ne pourras

rien voir,

sinon ce qui est

devant toi.

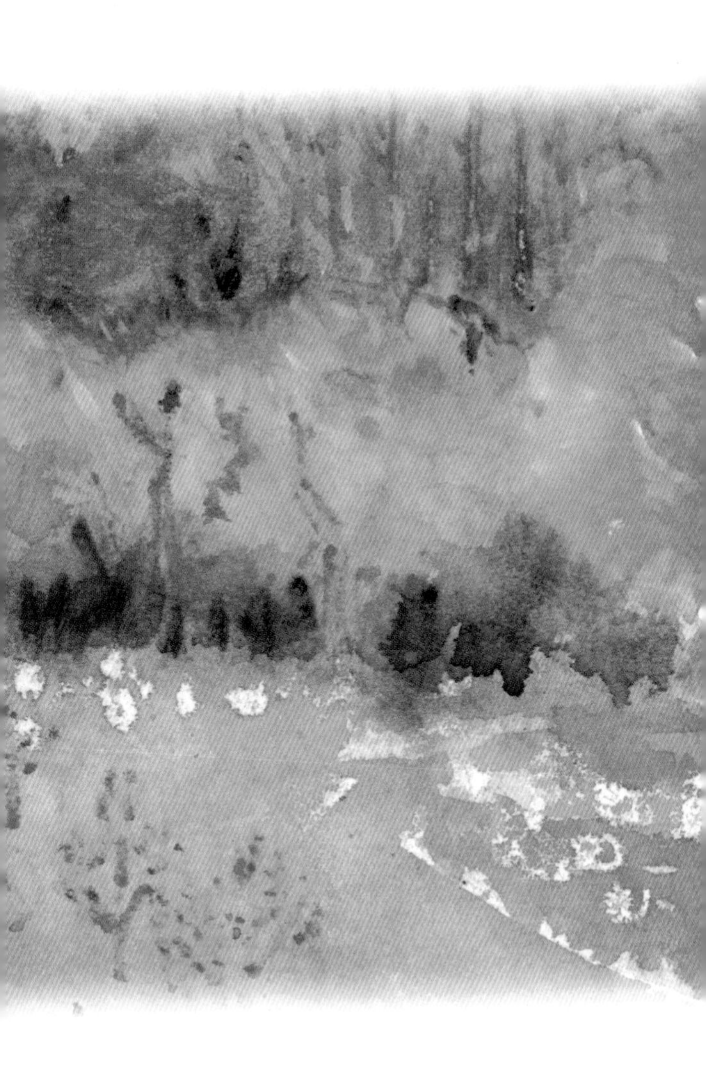

Tu te perdras
avant de te trouver.
Tu te sentiras vide
avant d'être comblé.

Les sanglots profonds
de la terre
pleureront par tes yeux,
et les larmes de la pluie
nettoieront la maison
de ton cœur.

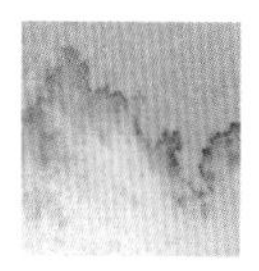

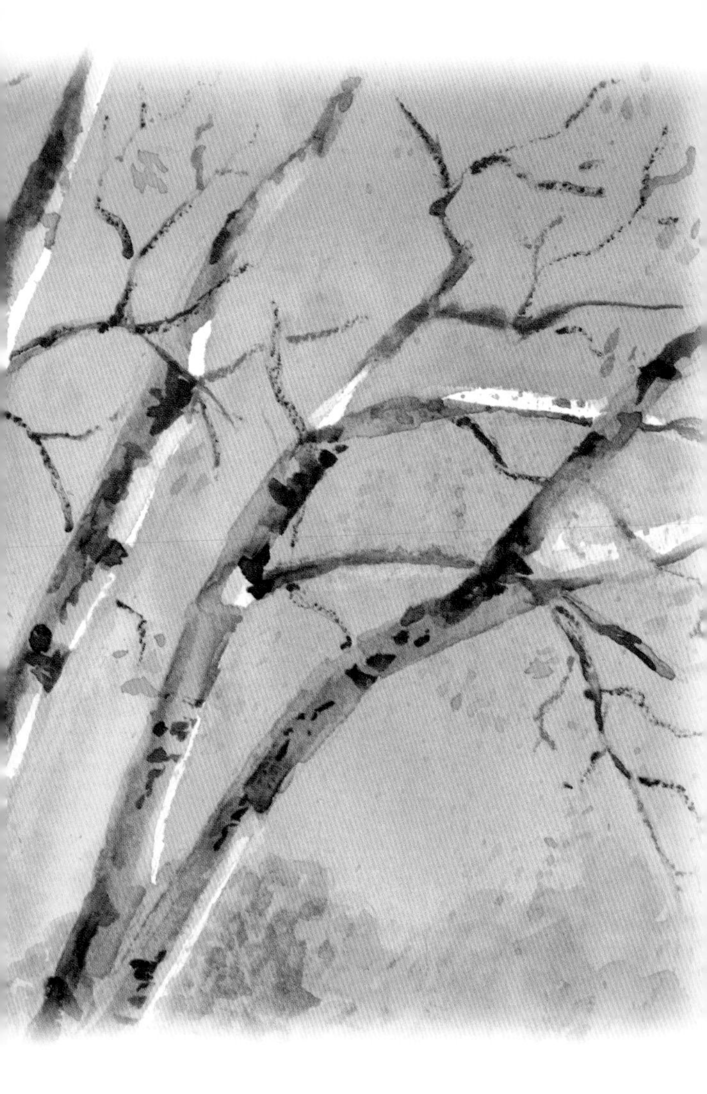

Avec le temps,

comme le printemps

fait éclore

les bourgeons,

sur les arbres

dénudés

par l'hiver…

…tu sentiras de nouvelles forces
naître en toi.

Avec le temps,
comme les rayons
du soleil
pénètrent lentement
les frondaisons…

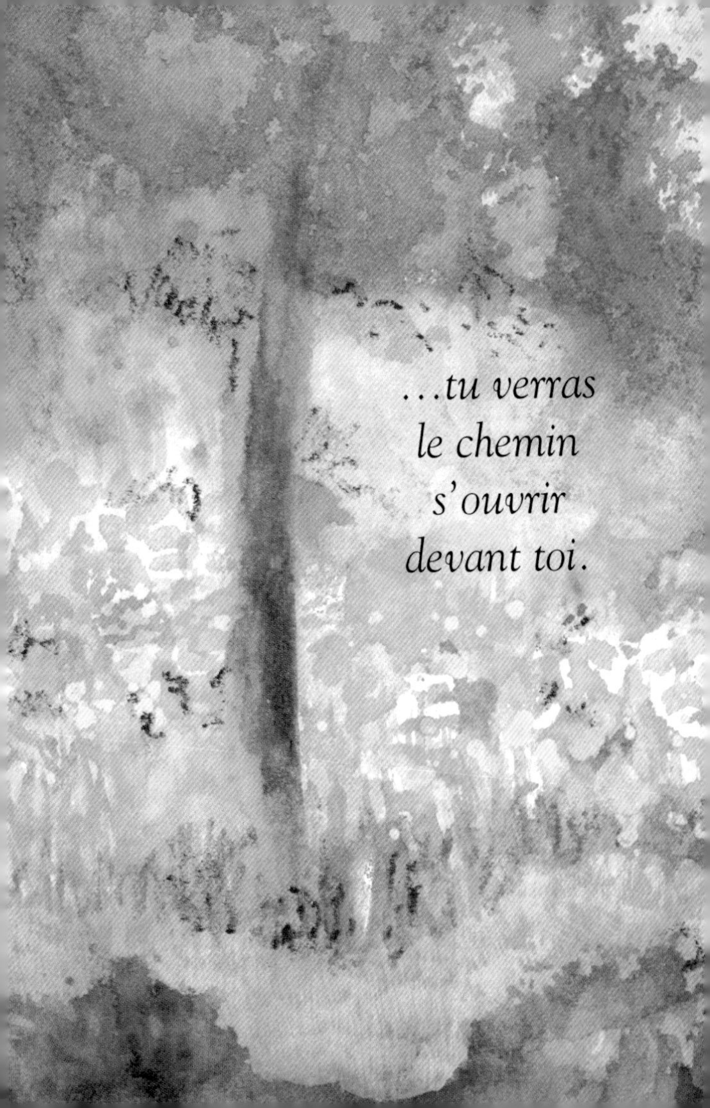

…tu verras
le chemin
s'ouvrir
devant toi.

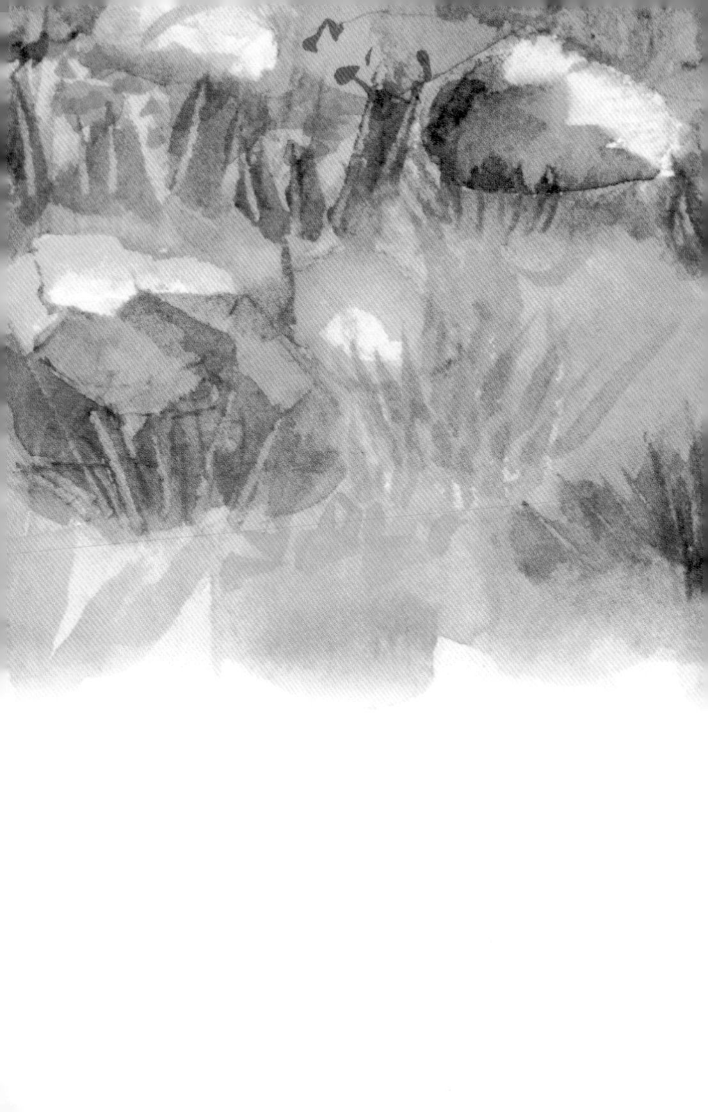

Avec le temps,
parce que la vie,
comme la naissance et la mort,
connaît son heure…

...tes peurs,
tes combats
et tes
ignorances
se
transformeront.

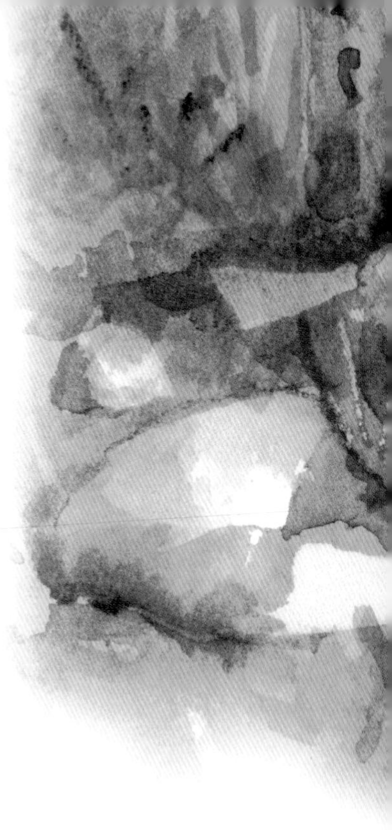

Ton cœur s'ouvrira

sur des paysages inconnus,

tandis que tu poursuivras

ton voyage à travers la vie.

cœur s'ouvrira

Ton âme sera
transparente
comme un lac
et, dans ses eaux
de cristal,
tu verras le reflet
de tes mystères
les plus intimes.

Tu comprendras pourquoi
les vagues se brisent
sur le rivage et repartent
avec le ressac pour revenir
encore et toujours.

TU COMP

R E N D R A S

Les ailes
du papillon
seront tiennes,

tandis que tu suivras
l'envol de tes désirs
les plus profonds.

La constance de l'abeille

sera tienne,

tandis que tu puiseras le nectar

qui adoucira ta vie quotidienne.

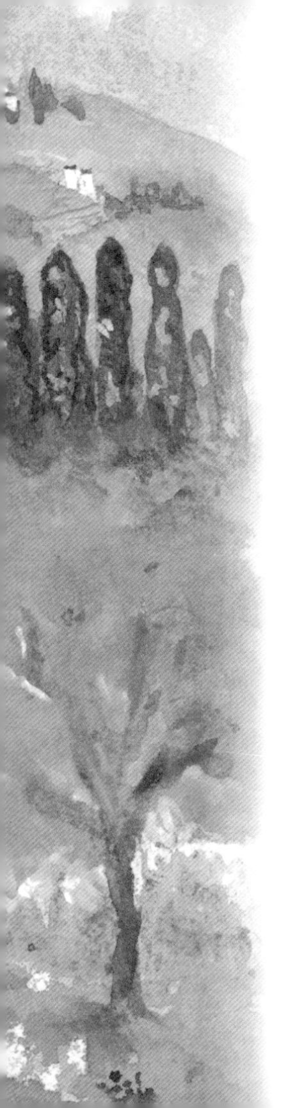

Le vol de l'aigle

sera tien

tandis que ton esprit

s'élèvera

vers les cimes.

Tu deviendras
la personne
que tu es vraiment.

Tu auras trouvé

la vérité, l'espoir

et un sens à ta vie.

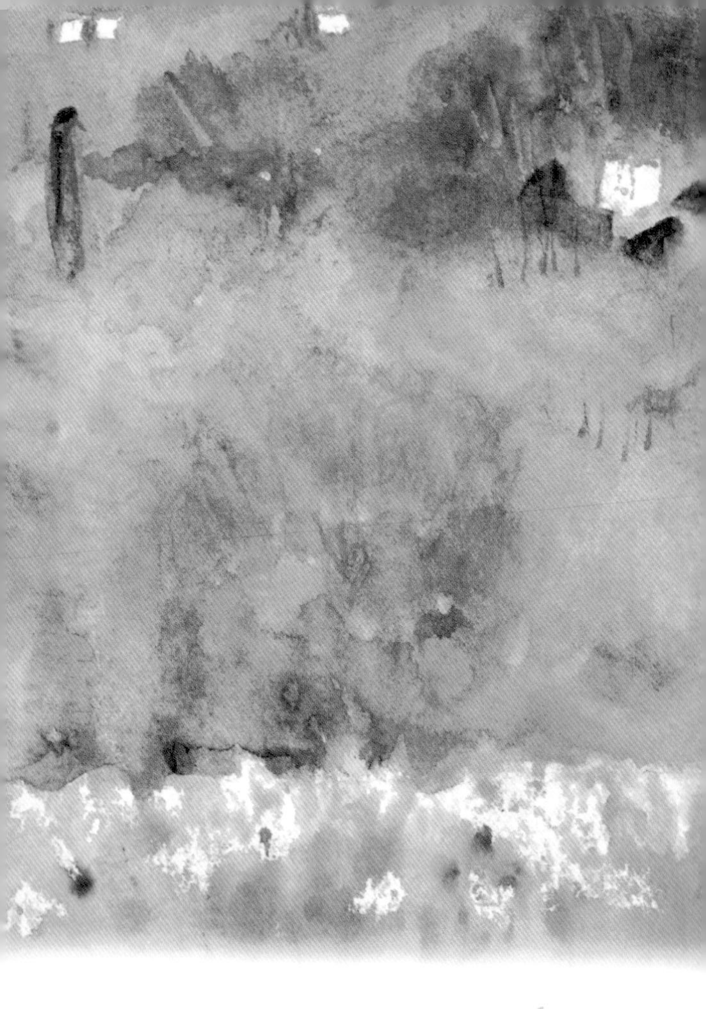

un espace

À la fin
du voyage,
tu auras trouvé
en toi
un espace de paix.

de paix

À PROPOS DE L'AUTEUR

Susan Squellati Florence

Depuis trois décennies, les cartes de vœux que dessine Susan Florence se sont vendues à des centaines de millions d'exemplaires et ses beaux-petits-livres à plus d'un million et demi d'exemplaires !

Grâce à sa sagesse toute simple et à ses ravissantes aquarelles, Susan Florence nous entraîne à sa suite dans un univers de beauté et de chaleur humaine. Comme le prouve le volumineux courrier qu'elle reçoit, ses lecteurs lui sont reconnaissants de l'aide qu'elle leur apporte. Beaucoup la remercient d'avoir su si bien exprimer, par ses mots et par ses images, ce qu'ils ressentaient sans savoir le dire.

Cette toute nouvelle série sur le thème du **voyage intérieur**, en quête d'une meilleure qualité de vie, invite le lecteur à faire le point. « *Nous ressentons* *tous*, nous confie l'auteur, *le besoin de disposer d'un peu de temps, pour redécouvrir ce qui compte véritablement dans notre existence, ce qui est pour nous source de joie et d'harmonie. Écrire les livres de cette série «* **Voyages intérieurs** *» m'a aidée moi-même à comprendre à quel point l'amour et la paix intérieure nous aident à accomplir dans les meilleurs conditions le difficile voyage de la vie. »*

Susan et son mari Jim ont deux grands enfants, Brent et Emily.

Autres livres de la collection
VOYAGES INTÉRIEURS

2-87388-303-0
Du temps pour soi *le bonheur d'être seul*

2-87388-304-9
L'amour d'une mère est un cadeau
Pour ma mère de sa fille, mère elle-même

2-87388-305-7
Accueillir l'imprévu
et une nouvelle vie peut commencer

2-87388-306-5
Que serait la vie sans **De vrais amis**

2-87388-307-3
Perdre quelqu'un qu'on aime
voyage au cœur du chagrin